PEQUEÑO INGENIERO

FÍSICA & AGUA

Parramón

FÍSICA & AGUA

Editor: Jesús Araújo
Ayudante editorial: Elena Marigó
Textos y ejercicios: Oriol Nos Aguilà

Diseño gráfico de la colección: Álex Guerrero
de Columna Comunicación

Diseño gráfico y maquetación: Leonardo Ribero

Fotografía: Nos & Soto
Corel
Corbis

Primera edición: septiembre 2003
© 2003 Parramón Ediciones, S.A.
Derechos exclusivos de edición para todo el mundo
Ronda de Sant Pere, 5, 4ª planta
08010 Barcelona - España
Empresa del Grupo Editorial Norma, S.A.

Dirección de producción: Rafael Marfil
Producción: Manel Sánchez
ISBN Física & Agua: 84-342-2510-7
Depósito legal: B-20.273-2003
Impreso en España

Agradecimientos especiales

A los niños y las niñas que han hecho
de modelos en el libro:

Xavi Costa (contracubierta)
Marta García (cubierta)
Jordi Guillot
Marina Martínez
Nina Soto (manos en ejercicios)

Sumario

PARA TI

Física & Agua es el título de este volumen de la colección *Pequeño Ingeniero*, donde se describen paso a paso 14 ejercicios o prácticas que puedes llevar a cabo tú solo, con la ayuda puntual de un adulto. Lee muy atentamente cada uno de los pasos y las pautas que debes seguir, y comprobarás que no son difíciles y, al mismo tiempo, aprenderás a poner en práctica algunos principios básicos de la Física y a construir diversos elementos relacionados con el agua, algunos de ellos útiles y otros de carácter lúdico o decorativo.

El agua ha sido, desde que surgió la Física como ciencia, objeto de estudio por sus particulares propiedades, que la hacen única y excepcional. Este libro está dividido en una parte dedicada a la Física en general, y otra que se centra en algunos aspectos específicos del agua. De todas maneras, en los ejercicios de esta segunda parte se ponen de manifiesto varias propiedades y principios básicos de la Física.

El motivo de esta división es que en la parte de Física hemos incluido ejercicios relacionados con la Mecánica ("Los péndulos de Newton"), la Meteorología ("Una veleta" y "Un anemómetro"), la Termodinámica ("Un termómetro") y la Física del aire ("Mi cometa", "Un paracaídas" y "Mi ventilador de mano").

Sin embargo, en la parte dedicada al agua nos hemos centrado fundamentalmente en la Física de fluidos para ver principios como la fluidez y la viscosidad ("Las burbujas decorativas"), la presión y los vasos comunicantes ("El reloj de agua" y "La fuente del jardín"), el efecto Venturi ("Un *spray* para pintar"), el principio de Arquímedes ("El submarino" y "Un nivel") y el uso de la energía hidráulica ("Una noria-martillo").

EL LIBRO

Cada práctica sigue un mismo esquema de presentación: descripción del ejercicio, objetivos del trabajo, enumeración del paso a paso que debes seguir para realizarlo, un listado de materiales o herramientas que necesitas y, para finalizar, te ofrecemos la respuesta curiosa a un *¿Sabías que...?* para aumentar tus conocimientos. El *Glosario* te aclarará aquellos conceptos que desconoces o confirmará los que ya sabes.

Física
Los materiales más destacados que hemos usado en esta primera parte del libro son: tubos y planchas de plástico rígido o metal, planchas de DM (tipo de aglomerado), madera de balsa, varillas y listones de ramin, varillas de fibra de carbono, planchas de poliestireno, metacrilato y telas de nailon o celulosa.

Agua

Para la segunda parte del libro hemos empleado: tubos de plástico, de metacrilato, de látex o cobre; planchas de madera de balsa, de DM, de cobre y de poliestireno; porexpán, silicona, entre otros. Conviene utilizar agua destilada porque no precipita ningún sedimento, y a veces debe mezclarse con colorantes de anilina o acuarelas líquidas para que sea más visible o con una gota de detergente para que sea más tensoactiva. En dos ejercicios, se ha usado una pequeña bomba de agua, fácil de encontrar en tiendas especializadas en manualidades y maquetismo, para conseguir una corriente de agua continua y cerrada.

En ambas partes serán necesarios diversos materiales o herramientas de uso común, cola blanca, cola de contacto, pegamento de cianocrilato y pintura plástica de varios colores.

LA COLECCIÓN

Seis volúmenes integran la colección: *Construcción & Arquitectura*; *Electricidad & Magnetismo*; *Imagen & Sonido*; *Máquinas & Herramientas*; *Física & Agua* y *Transportes & Comunicación*.

La colección es apropiada para niños a partir de 9 años de edad, aficionados a actividades manuales y de construcción. El interés para los adultos con estas aficiones también puede ser destacable, y sin duda esta colección será una herramienta imprescindible para los profesionales de la enseñanza.

¿Qué debes tener en cuenta?

Antes de empezar a trabajar:
- Reúne los materiales y las herramientas necesarias para realizar el ejercicio.
- Protege la mesa de trabajo con un plástico para no dañarla.
- Usa ropa adecuada para trabajar.

Mientras estés trabajando:
- Pide ayuda a un adulto cuando debas usar cualquier herramienta cortante (sierra, *cutter*...) o utilices algún pegamento de secado rápido como el de cianocrilato.
- Usa el pegamento que se indica en cada caso, ya que será el más adecuado para cada tipo de material o superficie.
- Si en algún momento tienes problemas para perforar algún material con el taladro de mano, pide ayuda a un adulto.
- Al trabajar con agua debes cerciorarte de que todas las uniones están bien selladas para que no se produzcan escapes. Para ello deberás utilizar materiales como silicona o teflón según convenga, o simplemente bordear las junturas con pegamento de cianocrilato.
- Cuando termines de usar las pinturas o los pegamentos asegúrate de cerrar bien los recipientes para evitar que se sequen.
- Una vez hayas acabado de usar un pincel, lávalo inmediatamente con agua y sécalo con un trapo o con papel de cocina para evitar que se estropee.

Cuando hayas finalizado el trabajo:
- Lava y recoge los utensilios que hayas utilizado.
- Si el ejercicio ha quedado a medio hacer, guárdalo dentro de una caja para poder continuarlo en otro momento.
- Guarda todo el material sobrante que puedas volver a utilizar para próximos trabajos.
- Ten en cuenta que algunos materiales imprescindibles para la construcción de los ejercicios son contaminantes, en especial los plásticos. Por ello, intenta reciclar todo el material que sea posible.

EL AUTOR

Oriol Nos Aguilà estudió Ciencias Físicas, es un entusiasta del maquetismo y conocedor de la enseñanza de las ciencias para jóvenes alumnos.

Los ejercicios que propone en este libro han sido seleccionados pensando en los gustos e intereses de la mayoría de los niños de estas edades y los describe de manera sencilla y fácil de entender para estos jóvenes lectores.

Asimismo, el libro ha sido elaborado teniendo en cuenta su contenido didáctico, con la pretensión de que el lector se familiarice con algunas nociones básicas de la Física y aprenda a trabajar con una serie de materiales y herramientas adecuados.

PRÁCTICAS DE FÍSICA

La Física es la ciencia que estudia los fenómenos de la naturaleza, desde los más elementales hasta los más complicados. Si se tiene en cuenta esta definición tan genérica, la Física puede considerarse la "madre" de las otras ciencias (Biología, Química, Geología...), ya que todas ellas precisan de principios y leyes físicas para ser elaboradas. Sin embargo, también es posible restringir el significado del término para designar con él el estudio de las leyes generales de la naturaleza, y en particular del mundo inorgánico.

Tradicionalmente, la Física clásica se dividía en cinco ramas: la Mecánica, la Acústica, la Óptica, la Termología y el Electromagnetismo, que estudiaban respectivamente el movimiento de los cuerpos, el sonido, la luz, el calor y la relación entre electricidad y magnetismo. Esta división perduró hasta que en el siglo xx aparecieron nuevas ramas como la Física atómica, la Física nuclear y la Física cuántica.

El nacimiento de la Física como ciencia tuvo lugar en la Grecia clásica, donde grandes filósofos como Aristóteles o Arquímedes empezaron a buscar explicaciones lógicas para los fenómenos que observaban a su alrededor. La visión de Aristóteles sobre la naturaleza se consideró válida durante toda la Edad Media, hasta que pensadores de los siglos xvi y xvii (como Galileo Galilei o Isaac Newton, entre otros) sentaron las bases de la Mecánica.

Nadie se atrevió a discutir la Mecánica de Newton hasta que a principios del siglo xx nació la Física cuántica, que rompía con todos los conceptos de la Física clásica. Entre los máximos exponentes de esta nueva tendencia se encuentran Max Planck, Albert Einstein y Niels Bohr.

ALGUNAS RAMAS DE LA FÍSICA ACTUAL

- **Mecánica y ondas.** Engloba el estudio del movimiento de los cuerpos y, en particular, de las ondas o movimientos oscilatorios.
- **Óptica.** Es el estudio de las propiedades de la luz y su naturaleza.
- **Electromagnetismo.** Comprende los fenómenos eléctricos y magnéticos, así como la relación que existe entre ambos.
- **Termodinámica.** Estudia los fenómenos relacionados con la temperatura y el calor.
- **Astronomía.** Comprende la observación y el estudio del universo y los cuerpos celestes.
- **Meteorología.** Estudia la atmósfera terrestre; su composición, los procesos físicos que se dan en ella y la predicción del clima.

LA MECÁNICA Y LAS TRES LEYES DE NEWTON

La Mecánica es la parte de la Física que estudia el movimiento de los cuerpos y cómo actúan las fuerzas sobre ellos. Esta rama de la Física fue desarrollada por Isaac Newton (1643-1727), quien publicó sus trabajos en 1686.

Las teorías enunciadas por Newton pueden resumirse en tres leyes fundamentales:

• **Ley fundamental de Newton.** La fuerza (F) que hacemos sobre un cuerpo es igual al producto de su masa (m) por la aceleración (a) que sufre dicho cuerpo. Su expresión matemática es la siguiente:

$$F = m \times a$$

La fuerza se mide en Newtons (N). Por ejemplo, si una persona pesa 50 kg, sabiendo que la aceleración de la gravedad es de 9,81 m/s^2, podemos calcular la fuerza de la gravedad que ejerce la tierra sobre esa persona:

$$F = m \times a = 50 \text{ kg} \times 9,81 \text{ m/s}^2 = 490,5 \text{ Newtons}$$

• **Ley de la inercia.** Si no efectuamos ninguna fuerza sobre un determinado cuerpo, el movimiento de éste no se ve alterado de ninguna manera.

Según esta ley, un cuerpo permanecería quieto o se movería en línea recta de forma indefinida, si nunca se le aplicara ninguna fuerza. El hecho de que existan fuerzas de rozamiento, por ejemplo, explica porqué una pelota que rueda termina deteniéndose. En determinadas superficies, la fuerza de rozamiento es muy pequeña, como ocurre con el hielo; por eso es tan resbaladizo.

• **Ley de acción y reacción.** Si un cuerpo ejerce una fuerza sobre otro cuerpo, este último ejerce una fuerza igual pero en sentido opuesto sobre el primer cuerpo.

El juego de billar resulta muy útil para ejemplificar esta ley: cuando una bola *A* choca con una bola *B*, la primera transmite una fuerza sobre la segunda que la impulsa hacia delante. Al mismo tiempo, la bola *B* efectúa una fuerza igual, pero de sentido contrario sobre la bola *A*. Por eso, ésta se para en seco y se queda en reposo.

LA GRAVEDAD

El mismo Isaac Newton formuló la llamada **Ley de la gravitación universal** que explica cómo actúa la fuerza de la gravedad entre dos cuerpos. Dice que esta fuerza depende de las masas de los dos cuerpos y de la distancia que hay entre ellos.

Existe la creencia popular de que a Newton se le ocurrió esta ley mientras estaba descansando a la sombra de un manzano y se le cayó una manzana en la cabeza.

La ley de gravitación resulta de especial interés para la Astronomía en general y para la Mecánica de los cuerpos celestes, en particular. Asimismo, tiene relación con la influencia gravitatoria que ejerce la luna sobre los océanos. La fuerza de la gravedad de la luna es la causante de las mareas: como la luna es un satélite y da vueltas alrededor de la Tierra, arrastra el agua hacia el interior de los océanos o hacia la costa según su posición.

Una veleta

Una veleta es un aparato formado por una figura que al no estar en posición simétrica respecto al eje vertical que la soporta, se encara según sople el viento y así señala su dirección. En general, las veletas son de fácil construcción, como podrás comprobar al realizar la que te proponemos.

Objetivos

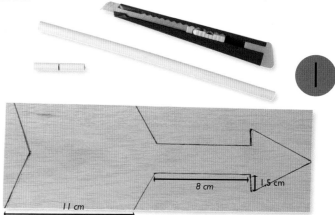

- Comprender el concepto de simetría de una figura respecto a un determinado eje.
- Reconocer las ventajas que supone saber la dirección en que sopla el viento, sobre todo en campos como la navegación, la Meteorología...
- Aprender a leer los mapas del tiempo.

Corta el tubo de plástico rígido delgado por la mitad y recorta en la plancha de madera de balsa la figura de una flecha.

• Tubo de plástico rígido de 20 cm de largo × 0,8 cm de diámetro exterior y 0,6 cm de diámetro interior
• Tubo de plástico rígido de 4 cm de largo × 0,6 cm de diámetro exterior y 0,4 cm de diámetro interior
• Plancha de DM de 15 cm de largo × 8 cm de ancho, y 10 mm de grosor
• Plancha de poliestireno cuadrada de 3 cm de lado y 2 mm de grosor
• Plancha de madera de balsa de 25 cm de largo × 8,5 cm de ancho, y 5 mm de grosor
• Varilla de fibra de carbono de 23 cm de largo × 0,3 cm de diámetro
• Cuatro tacos de goma, antideslizantes y autoadhesivos
• Barrena
• Taladro de mano o berbiquí
• Broca de 8 mm
• Dos arandelas de 0,8 cm de diámetro
• Escuadra
• Cutter
• Pegamento de cianocrilato
• Piedras de río
• Pinturas plásticas verde y fucsia
• Pinceles fino y grueso

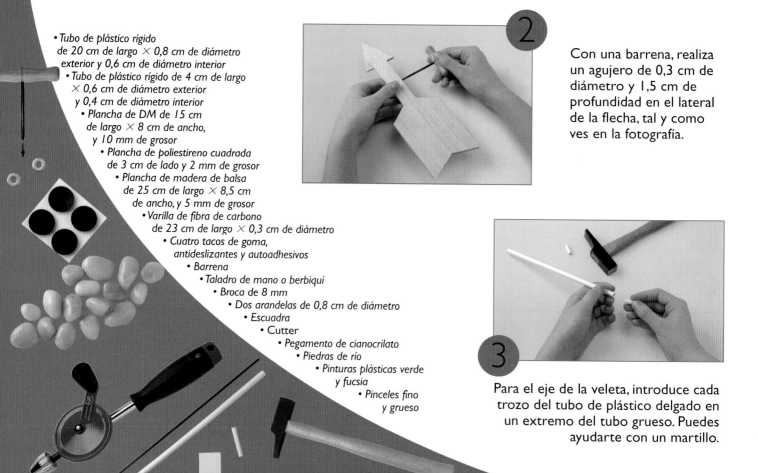

Con una barrena, realiza un agujero de 0,3 cm de diámetro y 1,5 cm de profundidad en el lateral de la flecha, tal y como ves en la fotografía.

Para el eje de la veleta, introduce cada trozo del tubo de plástico delgado en un extremo del tubo grueso. Puedes ayudarte con un martillo.

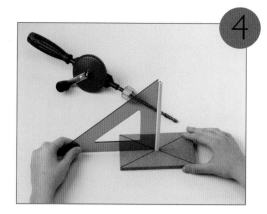

Realiza con el taladro un agujero de 0,8 cm de diámetro en el centro de la plancha de DM e introduce perpendicularmente el eje. Con una escuadra, comprueba que ha quedado perpendicular y refuerza la unión con pegamento de cianocrilato.

Da la vuelta a la base y pega la plancha de poliestireno para tapar el agujero. Coloca en cada esquina un taco de goma antideslizante y autoadhesivo.

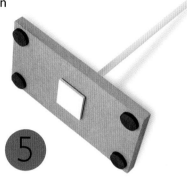

Con el *cutter*, haz punta a un extremo de la varilla de fibra de carbono e introduce el otro extremo en el agujero de la flecha. Pasa una arandela por la varilla y une los tres elementos con el pegamento de cianocrilato. Coloca la otra arandela en el extremo del eje.

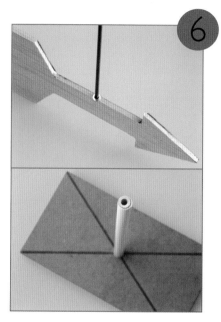

Pinta la flecha y la base, pega en ésta unas piedras para darle más estabilidad e introduce la varilla de fibra de carbono en el eje. ¡Ya tienes tu veleta finalizada!

¿Sabías que...

según la mitología griega, Eolo era el dios de los vientos? Vivía en la isla de Eolia y Zeus le había concedido el poder de controlar los vientos. Por eso, era muy temido por los marineros. Cuando Ulises lo visitó para pedirle ayuda, Eolo le entregó un odre con todos los vientos, excepto el que necesitaba para llegar a Ítaca. Mientras Ulises dormía, el resto de la tripulación abrió el odre, creyendo que contenía vino, y provocaron una gran tempestad, que los llevó de nuevo a Eolia.

Los péndulos de Newton

Con esta práctica, aprenderás a realizar un montaje sencillo y divertido. Además de jugar con él, te ayudará a comprender la ley de acción y reacción que formuló Newton.

Objetivos

- Estudiar y comprender el movimiento de los péndulos.
- Conocer las tres leyes fundamentales de la mecánica newtoniana, haciendo hincapié en la ley de acción y reacción.
- Aprender a combinar paciencia y habilidad para conseguir la precisión que requiere este montaje.

- Listón de ramin cuadrado de 119 cm de largo × 10 mm de lado
- Varilla de metacrilato de 0,6 cm de diámetro, dividida en dos trozos de 6 cm de largo y cuatro de 2 cm
- Plancha de DM de 17 cm de largo × 10 cm de ancho, y 10 mm de grosor
- Hilo de nailon de 0,16 mm de grosor
- Cinco canicas de 2,5 cm de diámetro
- Cinco capuchones de joyería
- Palillos redondos
- Taladro de mano
- Broca de 1 mm
- Pegamento de cianocrilato
- Cinta adhesiva de doble cara
- Cutter
- Pintura plástica verde
- Pincel grueso

1

Corta el listón como se indica y haz cinco agujeros de 0,1 cm de diámetro en los dos travesaños.

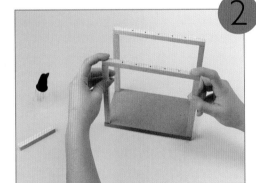

2

Sobre la plancha de DM (base), construye la estructura que ves en la fotografía, colocando las columnas, los travesaños y la viga central.

Con la cinta adhesiva de doble cara, pega la guía a lo largo de la base, de manera que la dividas por la mitad. Servirá para colocar las canicas alineadas y a la misma altura.

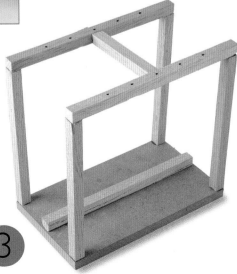

3

Une con cianocrilato un capuchón a una canica, pasa por él un trozo de hilo de nailon de unos 40 cm de largo y hazle un nudo en el centro. Repite el mismo proceso con las demás canicas.

4

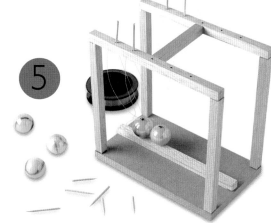

5

Pasa los extremos de los hilos por los agujeros de los travesaños, colocando las canicas sobre la guía para que queden alineadas. Parte los palillos por la mitad y encaja cada trozo en un agujero para fijar los hilos. Una vez alineadas, asegura la unión con una gota de pegamento y corta los trozos de hilos y palillos sobrantes.

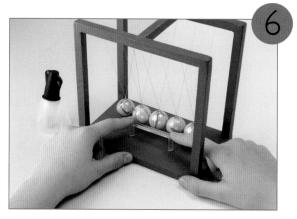

6

Retira la guía, pinta toda la estructura y construye dos barandillas con las varillas de metacrilato para colocarlas a un lado y a otro de las canicas, sin tocarlas. Estas barandillas resolverán los posibles desajustes que provoquen los errores de alineación.

Levanta la canica de un extremo y déjala caer: el movimiento se transmitirá y verás cómo rebota la última canica.

¿Sabías que...

fue Isaac Newton quien demostró que la velocidad de caída de los cuerpos, en ausencia de aire (vacío), es la misma para todos ellos sin importar su masa, forma o naturaleza? Para ello utilizó un tubo (Tubo de Newton) al que previamente le había extraído el aire y en el cual introdujo cuerpos diferentes (como una pluma y una bola de metal). Así comprobó que todos los objetos introducidos caían a la misma velocidad.

Una cometa

Las cometas son armazones recubiertos con papel o tela, unidos a una cuerda, que al lanzarlos al aire, se elevan y vuelan. **En este ejercicio te enseñamos a construir una cometa clásica en forma de rombo, que puede volar con vientos moderados, gracias a su diseño y a su escaso peso.**

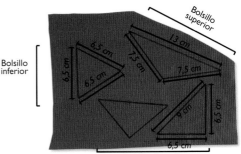

Bolsillo superior

Bolsillo inferior

13 cm
6,5 cm
7,5 cm
6,5 cm
6,5 cm
7,5 cm
6,5 cm
9 cm
6,5 cm

Bolsillos laterales

Objetivos

- Conocer el funcionamiento de las cometas.
- Estudiar la importancia del viento y su fuerza.
- Construir otro tipo de cometas con diseños más elaborados, como por ejemplo, el ala delta.

• *Tela de nailon anaranjada, cuadrada, de 1 m de lado (añadir un poco más para los bolsillos)*
• *Telas de celulosa roja y azul de 56 cm de largo × 8,5 cm de ancho*
• *Plancha de contrachapado de 15 cm de largo × 5 cm de ancho, y 5 mm de grosor*
• *Listón de ramin cuadrado de 9 cm de largo × 1 cm de lado*
• *Varilla de fibra de carbono de 170 cm de largo × 0,4 cm de diámetro*
• *Hilo de seda azul de 1 mm de grosor*
• *Papel de lija de grano fino*
• *Pegamento de cianocrilato*
• *Taladro de mano o berbiquí*
• *Brocas de 4 y 1 mm*
• *Cutter*
• *Aguja*
• *Hilo de coser anaranjado*
• *Cordón de goma elástico*

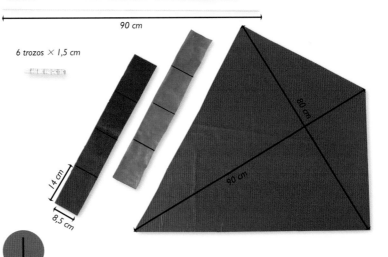

80 cm

90 cm

6 trozos × 1,5 cm

14 cm

8,5 cm

80 cm

90 cm

1 Recorta un rombo y cuatro triángulos de la tela de nailon, y divide cada tela de celulosa en cuatro partes. Corta los seis trozos de ramin y los dos trozos de varilla de fibra de carbono.

2 En cada uno de los cuatro vértices del rombo de tela de nailon, cose un bolsillo tal y como ves en la fotografía.

Realiza los agujeros indicados en los trozos de listón y redondea con el papel de lija el extremo de los cuatro trozos que irán en los bolsillos.

3

Refuerzo bolsillos

∅ 0,4 cm y 1 cm de profundidad

∅ 0,1 cm

∅ 0,4 cm

Sujeción bridas

4

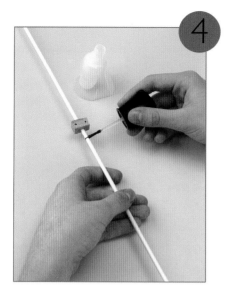

Introduce en el eje mayor las sujeciones de las bridas, una a 12 cm de un extremo y otra a 24 cm del otro. Fíjalos con pegamento de cianocrilato.

Introduce en los extremos de los dos ejes los cuatro listones de ramin redondeados, que harán de refuerzo.

5

6

Coloca los extremos de los ejes en los bolsillos correspondientes. El eje mayor debe tensar la tela sin llegar a doblarse, mientras que el eje menor debería quedar ligeramente doblado.

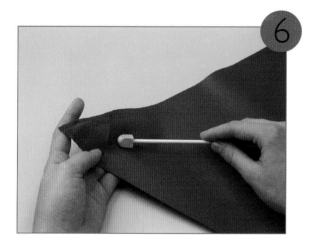

Haz un doble nudo con el cordón de goma elástico en la intersección de los ejes de la cometa para que queden fuertemente unidos en cruz.

7

8

Para hacer la cola de la cometa, dobla los trozos de tela de celulosa como muestra la fotografía.

9

Con el hilo de seda, ata con un doble nudo las telas dobladas en el paso anterior, alternando los colores y dejando un espacio intermedio de unos 15 cm.

Cose la cola de lazos, que debe medir unos 120 cm, en el vértice inferior de la cometa.

10

Sobre la plancha de contrachapado, dibuja y recorta la pieza que servirá de mando para tu cometa. Píntala de color marrón y enrosca el hilo de seda a su alrededor, haciendo previamente un nudo para que quede sujeto.

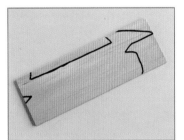

11

Con una aguja de coser, pasa el hilo de seda anterior por los dos agujeros de una de las sujeciones. Lleva el hilo hasta la otra sujeción y repite lo mismo. Finalmente, vuelve a atar el hilo a sí mismo formando un triángulo equilátero de unos 55 cm de lado.

¿Listo para salir a jugar con tu propia cometa?

¿Sabías que...

las cometas tienen su origen en China, aproximadamente en el año 1000 a. C.? En aquellos tiempos se construían con bambú y se revestían de seda. En Europa, se considera que el filósofo y matemático griego Arquitas de Tarento (s. IV a. C.) fue su inventor. Éste construía cometas de madera con formas de aves fantásticas.

Un termómetro

Seguro que sabes que los termómetros son los instrumentos que se utilizan para medir la temperatura ambiental o de determinados cuerpos. Ahora puedes aprender a construir uno muy sencillo, cuyo funcionamiento se basa en la expansión o la contracción del aire por el aumento o la disminución de la temperatura, respectivamente.

Objetivos

- Reconocer los diferentes métodos o instrumentos para medir la temperatura (termómetro de agua, de alcohol, de mercurio, termómetro electrónico...).
- Observar el fenómeno de la expansión de los gases a medida que aumenta su temperatura.

• Tubo de metacrilato de 35 cm de largo × 0,6 cm de diámetro exterior y 0,3 cm de diámetro interior
• Cilindro de cobre de 10 cm de largo × 5 cm de diámetro interior
• Tres bases de copas de champán de plástico desmontables
• Lámina fina de cobre cuadrada, de 10 cm de lado
• Tira de ramin de 21 cm de largo × 1,5 cm de ancho, y 3 mm de grosor
• Tira de cartulina amarilla de 19 cm de largo × 1,5 cm de ancho
• Pegamento de cianocrilato
• Resina epoxídica
• Silicona transparente
• Taladro de mano o berbiquí
• Cinta aislante negra
• Rotulador negro de punta fina
• Pinturas plásticas roja y de color cobre
• Acuarela líquida azul
• Pinceles fino y grueso
• Broca de 6 mm
• Tijeras
• Lima
• Agua

1

Consigue tres bases de copas de champán de plástico y rellena el hueco superior de dos de ellas con la resina epoxídica. Realiza en ella (cuando esté seca) un agujero de 0,6 cm de diámetro.

2

Con pegamento de cianocrilato, une una de las bases anteriores con la que no tiene resina, tal y como ves en la fotografía. Reserva la otra base.

3

Pega la lámina de cobre al cilindro de este mismo material y recorta los trozos que sobresalgan. Con la lima, acaba de pulir las posibles rebabas y comprueba que la unión queda bien sellada.

4 Llena el cilindro de cobre con agua coloreada con acuarela líquida azul hasta una altura de 7,5 cm. Tapa el extremo abierto del cilindro con la base que reservaste y pasa por su agujero el tubo de metacrilato hasta introducirlo unos 12 cm. Sella la unión con silicona.

5 Sopla un poco por el extremo del tubo para introducir aire en el recipiente y verás que cuando dejes de soplar el agua subirá por el interior del tubo. Repite la operación hasta que el nivel del agua llegue a la mitad. Introduce el extremo del tubo por el agujero de las dos bases que uniste en el paso 2 y séllalo.

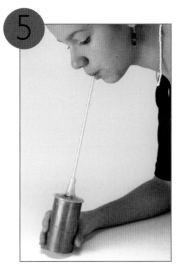

6 Pinta estas bases de color rojo, y la que uniste al cilindro de color cobre. A continuación, une la tira de ramin al tubo de metacrilato con cinta aislante negra y pega encima una tira de cartulina amarilla para poder anotar las temperaturas.

¿Ves cómo el agua coloreada sube y baja por el tubo de metacrilato, según la temperatura que haga? Ahora ya puedes calibrar tu termómetro.

¿Sabías que...

la calibración de este tipo de termómetros depende de la temperatura ambiental en el momento de construirlo? En este caso, se ha montado entre 20 y 25 °C. Si la temperatura es superior, hay que soplar hasta que la columna de agua sobrepase la mitad del tubo; y si la temperatura es inferior, la columna de agua debe quedar por debajo. Si se hace de esta manera se consigue que el termómetro sea válido para un rango de temperaturas de 5 °C a 50 °C, aproximadamente.

Un paracaídas

Los paracaídas son aparatos que se utilizan para reducir la velocidad de un cuerpo en caída libre dentro de la atmósfera. Su funcionamiento se basa en la fuerza de resistencia del aire, que se opone a la fuerza de la gravedad. Construye uno y lánzalo al aire para comprobar cómo baja despacito.

Objetivos

- Observar la resistencia al aire que ofrecen diferentes superficies y formas geométricas.
- Aprender a construir una forma esférica.
- Conocer y utilizar materiales muy ligeros, como la madera de balsa o la tela de celulosa.

- Telas de celulosa roja y verde de 47 cm de largo × 22,5 cm de ancho
- Tela de algodón de 8,5 cm de largo × 4 cm de ancho
- Tela de cuero sintético de 16 cm de largo × 4 cm de ancho
- Velcro autoadhesivo
- Madera de balsa de 15,5 cm de largo × 10,2 cm de ancho, y 5 mm de grosor
- Hembrilla de 20 × 10 mm
- Hilo de seda azul de 1 mm de grosor
- Aguja
- Hilo de coser
- Alfileres con cabeza
- Cola blanca
- Cutter
- Cartón
- Rotulador negro
- Regla
- Sierra de marquetería
- Pintura roja
- Pincel grueso

Diagramas de piezas

5 cm	4,5 cm	6 cm
Lateral	Pared delantera	Tapa
Lateral	Pared trasera	Base

5 cm / 5 cm (altura)
1 cm Refuerzo / 1 cm
5 cm / 4,5 cm / 5 cm

Tela cuero — 14 cm — 1 cm

Tela algodón — 5 cm × 2,5 cm

Plantilla — 1,5 cm
3,8 cm
6,8 cm
9,5 cm
11,7 cm
13,2 cm
14 cm
14,2 cm
3 cm / 3 cm

1 En la madera de balsa y las telas de celulosa, de algodón y de cuero sintético, dibuja y corta las piezas del paracaídas. Para que los seis trozos (tres de cada color) de celulosa sean iguales, utiliza una plantilla de cartón con las medidas indicadas.

2 Para formar el casquete del paracaídas, cose los seis trozos de tela de celulosa entre sí, alternando los colores, tal y como ves en la fotografía.

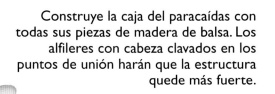

3 Construye la caja del paracaídas con todas sus piezas de madera de balsa. Los alfileres con cabeza clavados en los puntos de unión harán que la estructura quede más fuerte.

Para la tapa, encola el refuerzo de madera de balsa justo en su centro y únela a la caja con un trocito de tela de algodón que hará de bisagra.

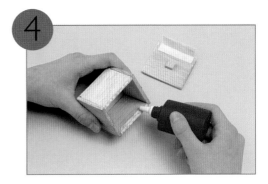

5

Pinta el exterior de la caja de color rojo y encola la tira de cuero sintético alrededor, dejando un trocito suelto en la parte frontal. Pega en cada extremo de esta tira un trocito de Velcro para poder cerrar la caja. Fija la hembrilla en el centro de la tapa.

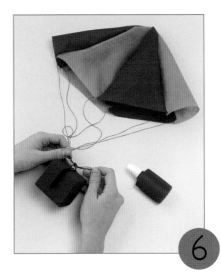

6

Corta el hilo de seda en seis trozos de 30 cm de largo y cose cada uno en un punto de unión del casquete. Únelos con un nudo a 5 cm del final, y luego átalos a la hembrilla con un nudo. Refuerza los nudos con una gotita de cola blanca.

Este bonito paracaídas ya está listo: lánzalo hacia arriba y observa cómo va cayendo.

¿Sabías que...

el primer personaje que estudió de forma científica los paracaídas fue Leonardo da Vinci (1452-1519)? Sin embargo, este aparato no se utilizó hasta 1797, y se dice que su inventor fue el aeronauta francés Jacques Garnerin.

Mi ventilador de mano

¿Quieres aprender a construir un práctico ventilador de mano para refrescarte cuando haga calor? Además, al hacer las aspas, descubrirás cómo funciona el efecto turbina.

Objetivos

- Aprender a diseñar y utilizar un sencillo dispositivo eléctrico.
- Conocer los distintos tipos de hélices y sus funciones (barcos, aviones, turbinas...).
- Estudiar el efecto turbina.

- *Listón de ramin cuadrado de 50 cm de largo × 1 cm de lado*
- *Plancha de poliestireno de 5 cm de largo × 2,5 cm de ancho, y 2 mm de grosor*
- *Plancha de madera de balsa de 6 cm de largo × 4,5 cm de ancho, y 2,5 mm de grosor*
- *Plancha de madera de balsa de 7 cm de largo × 5 cm de ancho, y 4 mm de grosor*
- *Plancha de PVC negra de 30 cm de largo × 1,5 cm de ancho, y 1 mm de grosor*
- *Varilla de madera de balsa de 1 cm de largo × 1 cm de diámetro*
- *Motor pequeño*
- *Pulsador*
- *Clip portapilas de 9V con cable bipolar de 16 cm de largo*
- *Pila de 9 V*
- *Cola blanca*
- *Pegamento de cianocrilato*
- *Cinta adhesiva de doble cara*
- *Cutter*
- *Barrena*
- *Destornillador plano*
- *Cuatro tornillos de cabeza plana de 0,3 cm de diámetro y 2 cm de largo*
- *Tornillo de cabeza plana de 0,2 cm de diámetro y 1 cm de largo*
- *Pintura plástica amarilla y azul*
- *Pinceles fino y grueso*

1 Corta todas las piezas del ventilador del listón de ramin, de las maderas de balsa y de las planchas de PVC y de poliestireno. Con una barrena, realiza el agujero indicado.

2 Pega con cola blanca los trozos de listón de ramin a las piezas de madera de balsa que formarán la caja. En una estructura, pega también la otra pieza de madera, de manera que la parte curva sobresalga.

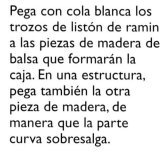

3 En la otra estructura, haz un agujero y fija el pulsador. Conecta a uno de sus terminales el cable negro del clip portapilas, y al otro el rojo y un trozo de cable que vaya a un terminal del motor.

4 Pinta de color amarillo la madera de balsa y une con tornillos las dos estructuras, encarando los listones de ramin. En la parte inferior, coloca la tapa de poliestireno: si la fijas por un extremo con un solo tornillo, podrás moverla para cambiar la pila.

5

Para construir la turbina, haz cuatro agujeros transversales, en cruz, en la varilla de madera de balsa. Introduce en cada uno el saliente de un aspa, colocándolas todas en el mismo sentido y con una inclinación de 45°. Refuerza las uniones con pegamento.

6

Pinta la turbina de color azul y encola alrededor de las aspas toda la tira de PVC. Puedes sujetarla con una pinza hasta que se seque.

Coloca la turbina en el eje del motor y ya puedes apretar el pulsador. Este ventilador de mano te será muy útil para combatir el calor.

¿Sabías que...

se ha calculado que el potencial eólico es unas veinte veces el actual consumo mundial de energía? Esto hace que la energía eólica sea una de las fuentes de energía renovable más importantes. Para conseguir este tipo de energía se construyen ventiladores gigantes que al ser movidos por el viento generan energía eléctrica.

Un anemómetro

Los anemómetros se utilizan para medir la velocidad o fuerza del viento. El que vamos a construir a continuación consta de cuatro cazoletas, unidas a los extremos de dos brazos colocados en cruz sobre un eje giratorio. La medición de la fuerza del viento en estos aparatos se basa en la fuerza centrífuga que se aplica a unos pesos que giran con el resto del eje.

Objetivos

- Comprender el concepto de fuerza centrífuga.
- Asimilar que vivimos en un "mar de aire" dinámico y conocer algo más sobre la ciencia que lo estudia, la meteorología.

- Tubo de plástico rígido de 29 cm de largo
  × 0,8 cm de diámetro exterior y 0,6 cm de diámetro interior
- Tubo de plástico rígido de 4 cm de largo
  × 0,6 cm de diámetro exterior y 0,4 cm de diámetro interior
- Tubo de PVC transparente de 2 cm de largo
  × 1,2 cm de diámetro exterior y 0,9 cm de diámetro interior
- Plancha de DM cuadrada de 23 cm de lado y 20 mm de grosor
- Plancha de poliestireno cuadrada de 3 cm de lado y 2 mm de grosor
- Plancha de madera de balsa de 30 cm de lado
  × 3 cm de ancho, y 5 mm de grosor
- Varilla de fibra de carbono de 30,5 cm de largo
  × 0,3 cm de diámetro
- Listón de ramin cuadrado de 4 cm de largo
  × 1 cm de lado
- Dos arandelas metálicas de 0,8 cm de diámetro
- Dos hembrillas de 10 × 5 mm
- Cuatro tacos de goma, antideslizantes y autoadhesivos
- Cuatro copas de plástico
- Hilo de nailon de 0,35 mm de grosor
- Dos plomos de pesca esféricos
  del tipo "pinza" de 5,8 gramos de peso
- Pinturas plásticas marrón, roja, negra, verde,
  amarilla, azul claro y azul oscuro
- Pinceles fino y grueso
- Tenazas
- Brida negra
- Lima de media circunferencia
  para madera
- Taladro de mano o berbiquí
- Broca de 8 mm
- Cutter
- Pegamento de cianocrilato
- Cola blanca
- Regla

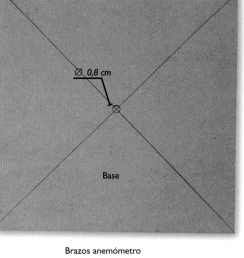

Ø 0,3 cm

Ø 0,8 cm

Base

Brazos anemómetro

1,5 cm
1,5 cm

1

Recorta las piezas necesarias para construir el anemómetro, y realiza los agujeros indicados en la base de DM y el listón de ramin.

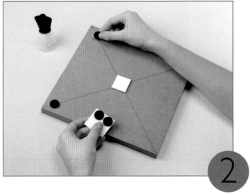

2

Con pegamento de cianocrilato, pega la plancha de poliestireno en una cara de la base de DM para tapar el agujero. Coloca en cada esquina de esa misma cara un taco de goma antideslizante.

Para el eje del anemómetro, introduce la mitad del tubo de plástico delgado en cada extremo del tubo grueso, y coloca una arandela en el extremo A. Da la vuelta a la plancha de DM e introduce el extremo B del eje en el agujero central.

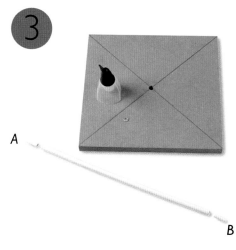

A

B

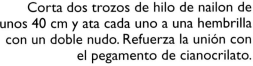

Enrosca las hembrillas en los extremos del listón de ramin.

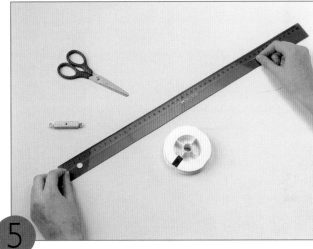

Corta dos trozos de hilo de nailon de unos 40 cm y ata cada uno a una hembrilla con un doble nudo. Refuerza la unión con el pegamento de cianocrilato.

Sujeta en cada uno de los hilos de nailon un plomo, a 13 cm de la hembrilla.

7

Con el *cutter*, haz punta a uno de los extremos de la varilla de fibra de carbono. Introduce el otro en el agujero del listón de ramin y encólalo con el pegamento de cianocrilato.

8

Con la lima de media circunferencia, rebaja un poco los extremos de los brazos del anemómetro, tal y como ves en la fotografía.

9

Con el pegamento de cianocrilato, pega una copa de plástico (sin base) sobre cada rebaje, tal y como se indica.

10

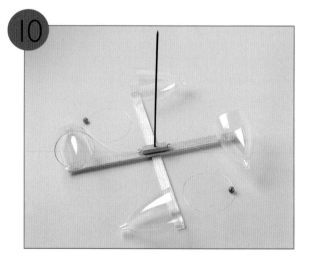

Con cola blanca, une los dos brazos del anemómetro en forma de cruz. Cuando estén secos, pega el listón de ramin sobre la intersección.

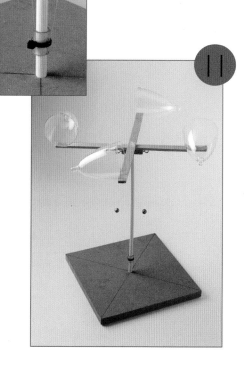

11 Pasa el tubo de PVC transparente por el eje y, tras haber introducido en éste la varilla de fibra de carbono con los brazos, une los dos hilos al tubo de PVC con una brida, a 13 cm de los plomos de pesca. Refuerza la unión con pegamento de cianocrilato.

12 Pinta la parte superior del anemómetro como ves, y el eje con seis franjas de 3 cm de ancho de colores diferentes para formar una escala graduada.

Coloca el anemómetro en un sitio donde haga viento. Fíjate en que la posición de la brida sobre una franja de determinado color indica la fuerza del viento.

¿Sabías que...

los huracanes o tifones consisten en una espiral que encierra en su interior enormes bancos de nubes? La presión atmosférica en el centro de esta espiral es muy pequeña, mientras que en sus extremos es muy alta. Esta diferencia de presión es la que origina vientos tan fuertes (hasta 250 km/h).

PRÁCTICAS DE AGUA

Sin lugar a dudas, el **agua** es la sustancia más importante. Durante siglos se consideró un elemento, pero en el año 1781 se descubrió que la molécula del agua estaba formada por dos átomos de hidrógeno y uno de oxígeno. Además, se trata de la única sustancia que se puede encontrar en la naturaleza en estado sólido (hielo), líquido (océanos, ríos, lagos...) y gaseoso (en la atmósfera). Alrededor del 70 % de la superficie del planeta está cubierta de agua.

El agua es fundamental para la existencia de la vida. Toda la comunidad científica está de acuerdo en que las primeras formas de vida aparecieron en lagunas y mares. De hecho, todos los seres vivos son, en un tanto por ciento bastante elevado, agua. La concentración es mucho mayor en las zonas activas de un cuerpo, por ejemplo el cerebro es en un 85 % agua, mientras que los huesos tienen alrededor de un 35 % de su peso en agua. Aunque resulta sorprendente que los seres humanos seamos aproximadamente un 60 % de agua, este porcentaje aún es mayor en determinados animales como, por ejemplo, la medusa, que tiene hasta un 95 % de agua. Podríamos decir que las personas somos agua y un poquito de otros elementos.

Uno de los usos más destacados del agua es el de disolvente. Es más, el agua se conoce como el disolvente universal. Esta capacidad se debe a los numerosos huecos que hay en las moléculas del agua, y en los cuales se colocan los átomos de las sustancias que se disuelven. Esta propiedad se puede observar al remover sal o azúcar dentro de un vaso de agua.

En la industria, el agua tiene muy diferentes utilidades: materia prima, refrigerante, transportador de calor, fuente de energía hidroeléctrica, etc.

CLASIFICACIÓN DEL AGUA

El agua se puede clasificar según la cantidad de minerales que tenga disueltos en:

• **Aguas duras.** Aquellas que tienen muchos minerales disueltos (sobre todo, calcio y magnesio). Se recomienda beber este tipo de aguas ricas en minerales cuando el cuerpo está falto de ellos y son muy poco recomendables para aquellas personas que padecen de piedras en los riñones.

• **Aguas blandas.** Aquellas cuya concentración de minerales es muy baja. Se recomienda usarlas para cocer las legumbres.

O bien, según su salinidad (concentración de cloro y sodio), se distingue entre:

• **Agua salada.** Contiene altos niveles de concentración de iones de sodio y cloro. El agua salada se encuentra en los océanos y mares.

• **Agua dulce.** Apenas tiene sodio y cloro disueltos. La encontramos en ríos, lagos, glaciares, aguas subterráneas y en los hielos de los polos.

El conjunto del agua de nuestro planeta recibe el nombre de hidrosfera. El 97 % de la hidrosfera la constituye el agua salada de mares y océanos. El 2 % es agua dulce congelada en los polos, mientras que el 1 % restante se encuentra mayoritariamente en ríos y lagos.

EL CICLO DEL AGUA

Se conoce como **ciclo del agua** al proceso que permite mantener el agua de nuestro planeta en movimiento constante realizando un circuito cerrado.

El agua de los mares y océanos se evapora gracias a los rayos solares que la calientan. Al evaporarse, pasa a la atmósfera en forma de vapor de agua. Cuando se enfría, se condensa en forma de gotitas, y en el momento en que estas gotas se hacen demasiado pesadas, precipitan en forma de lluvia, nieve o granizo según las condiciones climatológicas. Parte del agua precipitada se vuelve a evaporar antes de llegar a la superficie, pero el resto cae de nuevo sobre los océanos y mares o sobre tierra firme. Esta última puede depositarse en lagos o fluir por ríos y aguas subterráneas que desembocan al mar.

PROPIEDADES FÍSICAS DEL AGUA

El agua resulta fascinante para los científicos por la variedad de propiedades físicas que la hacen única.

• **Ocupa más volumen en estado sólido que en estado líquido.** Es decir, el hielo es menos denso que el agua (a 0 °C el hielo es 1,12 veces menos denso que el agua). Por eso, el hielo flota en el agua (icebergs). Esta peculiaridad del agua es importantísima, ya que si no fuera así los mares, lagos y ríos en invierno se congelarían del fondo hacia arriba, destruyendo la vida acuática y cambiando radicalmente el clima.

• **Temperaturas de solidificación y de ebullición.** Las temperaturas a las que el agua pasa a ser líquida (0 °C) y gaseosa (100 °C) son excepcionalmente altas comparadas con otras sustancias similares. Este rango de temperaturas permite que en la tierra se encuentre agua en estado sólido, líquido y gaseoso.

• **Tiene una gran capacidad para absorber y almacenar energía.** Gracias a esta propiedad, el agua es un buen refrigerador. Por eso cuando hace mucho calor o tenemos fiebre, el cuerpo expulsa agua a través del sudor que "roba" calor de nuestro cuerpo. Además, el agua de nuestro cuerpo almacena calor para que resistamos mejor las variaciones de temperatura.

El PRINCIPIO DE ARQUÍMEDES

El principio de Arquímedes explica porqué los cuerpos flotan afirmando que "cualquier objeto que se encuentre dentro de un líquido es empujado hacia arriba por una fuerza igual al peso del agua que desaloja".

Este principio explica porqué una botella llena de aire flota y la misma botella llena de arena se hunde. En los dos casos la botella es empujada hacia arriba por la misma fuerza, pero cuando la botella está llena de aire la fuerza de empuje es superior al peso de ésta y la hace flotar, mientras que cuando tiene arena, ocurre lo contrario y se hunde.

Por este mismo principio se entiende que la parte visible de los icebergs sea muy pequeña en comparación con su tamaño real. Teniendo en cuenta las diferencias de densidades entre hielo y agua líquida, se puede deducir que en realidad el volumen total del iceberg es 10 veces mayor que el que sobresale por encima del agua.

Cuenta la leyenda que Arquímedes (287-212 a.C.) se encontraba en unos baños públicos cuando se dio cuenta de que al sumergirse dentro del agua, había una fuerza que lo empujaba de nuevo hacia la superficie. Quedó tan entusiasmado por el descubrimiento que salió del agua y echó a correr por las calles mientras gritaba: ¡Eureka! ¡Eureka! (¡Lo encontré! ¡Lo encontré!).

El reloj de agua

El reloj de agua o clepsidra es uno de los instrumentos más antiguos utilizados por el hombre para medir el paso del tiempo. Su funcionamiento consiste en medir el nivel del agua al pasar de un recipiente a otro por un pequeño agujero, y tomar esa unidad de tiempo como referencia. Atrévete a construir uno y verás lo fácil que es.

Objetivos

- Reconocer diferentes métodos o instrumentos para medir el paso del tiempo (clepsidra, reloj de arena, péndulo de Foucault, posición de las estrellas, reloj electrónico...).
- Asimilar el concepto de presión y comprobar que la velocidad de caída del agua disminuye a medida que baja su nivel.

- Dos cilindros de metacrilato de 15 cm de largo × 8 cm de diámetro exterior
- Tres planchas de metacrilato, cuadradas, de 10 cm de lado
- Tubo de PVC transparente de 26 cm de largo × 0,9 cm de diámetro interior y 1,2 cm de diámetro exterior
- Dos tacos de pared del nº 8
- Lima
- Taladro de mano
- Broca de 12 mm
- Pegamento de cianocrilato
- Cinta aislante
- Agua destilada
- Detergente para lavavajillas
- Pintura acrílica amarilla
- Acuarela líquida verde
- Pinceles fino y grueso

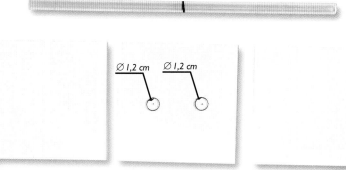

Ø 1,2 cm   Ø 1,2 cm

1 En una de las planchas de metacrilato, señala los agujeros que se indican y pide a un adulto que te ayude a hacerlos. Divide el tubo de PVC por la mitad.

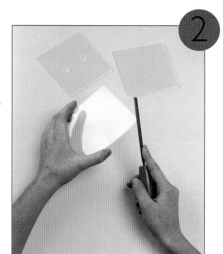

2 Con la lima, redondea las esquinas de las tres planchas de metacrilato

Coloca a presión los dos tacos en un extremo de cada trozo de tubo de PVC transparente. Con el pegamento de cianocrilato, únelos por el extremo sin taco a la plancha de metacrilato agujereada, tal y como ves.

3

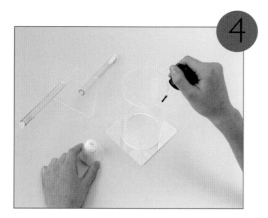

4 Pega un cilindro sobre una de las planchas sin agujeros y tápalo con la plancha con los tubos de PVC. Asegúrate de que las uniones queden bien selladas.

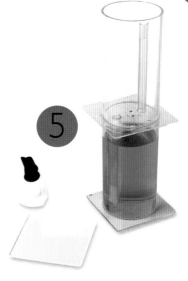

5 Pega el otro cilindro de metacrilato al otro lado de la plancha con los tubos y llena el recipiente con agua destilada mezclada con acuarela líquida verde y una gota de detergente, hasta una altura de 12 cm. Tapa la estructura con la otra plancha de metacrilato sin agujeros.

Con la pintura amarilla, decora tu reloj de agua pintando las partes de las planchas de metacrilato que sobresalen.

6

Con un cronómetro, puedes graduar tu reloj según el nivel del agua y marcar el tiempo sobre una cinta aislante. En este caso, el agua tarda unos 5 minutos en pasar completamente de un recipiente a otro.

¡Sabías que...

la clepsidra (o reloj de agua) ya era utilizada por los egipcios hacia el siglo XIV a.C.? Su uso perduró (con pequeñas modificaciones) hasta el siglo XIII, lo que significa que ¡durante más de 2.500 años se utilizó el mismo instrumento para medir el tiempo!

Un *spray* para pintar

Un *spray* es un aparato que sirve para vaporizar líquidos. Su funcionamiento se basa en el llamado efecto Venturi: una corriente de aire crea una zona de baja presión que arrastra el aire o líquido de su alrededor; cuando el líquido entra en la corriente de aire es dispersado en miles de gotas pequeñísimas. Si sigues con atención los pasos, verás lo sencillo que es construir un pequeño *spray*.

Objetivos

- Conocer y estudiar el efecto Venturi.
- Diferenciar las distintas fases de los elementos (sólido, líquido y gaseoso) y sus cualidades.
- Observar las múltiples aplicaciones cotidianas de los *sprays*.

1 Corta con la sierra el listón de ramin y realiza los agujeros indicados. Dale una inclinación de 45° a un extremo del trozo largo y haz también los agujeros señalados en el tapón del frasco. Pinta el ramin de color cobre.

- *Frasco de plástico, de 50 ml de capacidad, con tapón de rosca*
- *Listón de ramin cuadrado de 5 cm de largo × 1 cm de lado*
- *Tubo de plástico transparente de 2,5 cm de largo × 1 cm de diámetro exterior y 0,8 cm de diámetro interior*
- *Tubo de plástico blanco de 8 cm de largo × 0,8 cm de diámetro exterior y 0,6 cm de diámetro interior*
- *Tubo de latón de 8 cm de largo × 0,2 cm de diámetro*
- *Pera del n° 9*
- *Taladro de mano o berbiquí*
- *Brocas de 8 y 2 mm*
- *Lima*
- *Sierra de marquetería*
- *Papel de lija de grano fino*
- *Pegamento de cianocrilato*
- *Pintura plástica de color cobre*
- *Pinceles fino y grueso*

2 Una vez seca la pintura, pega el trozo de listón corto encima del largo, sin tapar su agujero.

3 Pasa el tubo de latón por el agujero central del tapón del frasco y después por el agujero del listón de ramin largo.

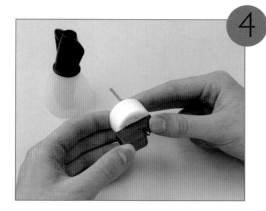

4 Con pegamento de cianocrilato, fija los listones en el centro del tapón, sin tapar sus otros dos agujeros.

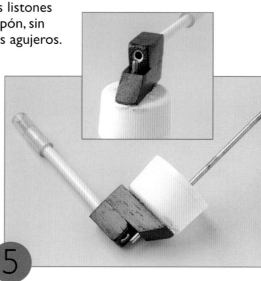

Introduce a presión el tubo de plástico transparente en un extremo del tubo blanco, y pasa su otro extremo por el agujero de la estructura de ramin. Esta abertura debe coincidir con el final del tubo de latón.

5

6

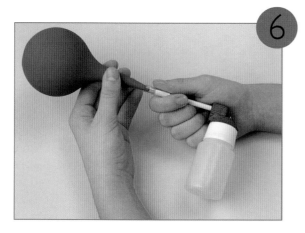

Tapa el frasco con el tapón e introduce una pera del n° 9 (debe ser un poco grande) en el extremo libre del tubo de plástico transparente.

Llena el recipiente con tinta o acuarela líquida, aprieta la pera y ya puedes empezar a pintar con tu *spray*. Si no tienes este tipo de peras, puedes soplar directamente en el tubo de plástico.

¿Sabías que...

se pueden hacer dibujos muy bonitos con este *spray* que recuerda a los aerógrafos? Por ejemplo, se pueden preparar plantillas con diversas formas, colocarlas sobre un papel, pintar encima con el *spray* y luego retirar la plantilla. Además se pueden usar tantos colores como se quiera, si se tienen varios recipientes y si se limpian bien los tubos cada vez que se cambia de color.

Una noria-martillo

Los griegos inventaron las norias para aprovechar la fuerza de la corriente de un río o de un salto de agua para irrigar campos de cultivo. Este invento fue difundido por los romanos y los árabes. La noria que te proponemos a continuación sirve para mover un martillo pilón.

Objetivos

- Estudiar el funcionamiento de una noria.
- Descubrir la importancia de la energía hidráulica.
- Conocer otros tipos de fuentes de energía renovable (eólica, solar, hidroeléctrica...).

- Tubo de plástico rígido de 12 cm de largo × 0,6 cm de diámetro exterior y 0,4 cm de diámetro interior
- Dos planchas de DM de 10 mm de grosor: una de 30,5 cm de largo × 21 cm de ancho, y otra de 8 cm de largo × 5 cm de ancho
- Dos planchas de DM de 21 cm de largo × 7 cm de ancho, y 5 mm de grosor
- Lámina fina de cobre, cuadrada, de 2,5 cm de lado
- Tres listones de madera de pino de 39,5 cm de largo × 6 cm de ancho, y 35 mm de grosor
- Listón de ramin cuadrado de 48 cm de largo × 1 cm de lado
- Listón de ramin de 6 cm de largo × 1 cm de ancho, y 2 mm de grosor (pala de la noria)
- Listón de madera de 56 cm de largo × 0,4 cm de ancho, y 3 mm de grosor
- Plancha de madera de balsa de 20 cm de largo × 10 cm de ancho, y 5 mm de grosor
- Plancha de madera de balsa de 9 cm de largo × 10 cm de ancho, y 4 mm de grosor
- Plancha de madera de balsa de 10,5 cm de largo × 5,6 cm de ancho, y 2 mm de grosor
- Listón de madera de balsa cuadrado de 1,5 cm de largo × 1,5 cm de lado (cabeza del martillo)
- Varilla de fibra de carbono de 16 cm de largo × 0,3 cm de diámetro
- Cuatro arandelas metálicas de 0,8 cm de diámetro
- Pinturas plásticas marrón, negra, verde y azul oscuro
- Taladro de mano o berbiquí
- Broca de 3 mm
- Bomba de agua pequeña
- Silicona transparente
- Pegamento de cianocrilato
- Cola blanca
- Barniz para madera transparente
- Pinceles fino y grueso
- Cutter
- Sierra de marquetería
- Lima redonda

1

Corta en los diferentes materiales todas las piezas de la noria y realiza los agujeros señalados.

Para la base de la noria, pega con cola blanca los listones de madera de pino sobre la plancha más grande de DM dejando un surco entre medio. En los extremos pega las dos planchas de DM de 5 mm de grosor y en uno de ellos la plancha de DM de 10 mm de grosor con un agujero que quede centrado en el surco.

2

Para la noria, pega en una de sus ruedas los ocho radios, dejando un espacio en el centro, tal y como ves en la fotografía.

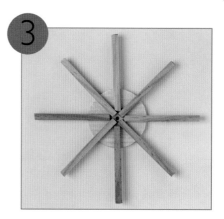

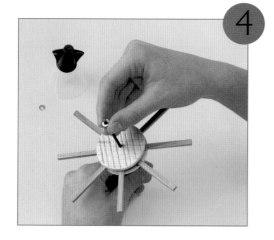

Pega la otra rueda encima de los radios y pasa la varilla de fibra de carbono (eje noria) por los agujeros. Pasa una arandela por cada extremo del eje y fíjalas con pegamento de cianocrilato.

Construye las cazoletas de la noria, encolando tres paredes a cada una de las bases. Pega cada cazoleta en el extremo de un radio, dejando que sobresalgan 1 cm. Una vez pegadas, pinta todas las cazoletas de color marrón.

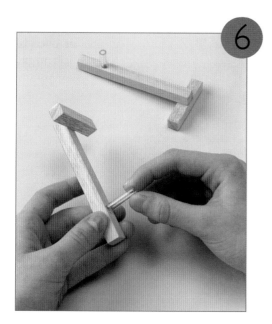

Para los soportes de la noria, pega el soporte y su base en forma de T. Por el agujero del soporte, introduce la guía del eje de la noria. Pinta el ramin de color marrón, y el plástico negro.

Pasa los dos soportes por los extremos del eje de la noria y pega la pala en el que sobresale más, después de pintarla de marrón. Para facilitar la unión puedes realizar un pequeño surco con una lima en un extremo de la pala.

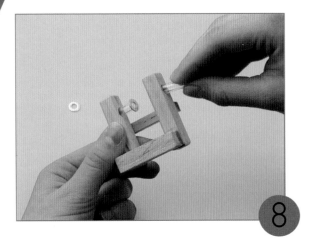

Para los soportes del martillo, pega las piezas con cola blanca, tal y como ves en la fotografía. Pasa las dos guías de plástico pequeñas por los agujeros y pega una arandela en cada extremo interior.

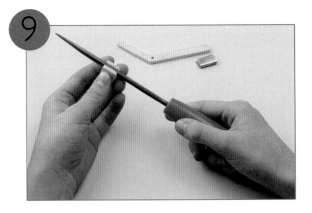

En uno de los lados de la cabeza del martillo, haz un surco de 0,5 cm de profundidad y 0,4 cm de ancho, y únela al brazo del martillo. En el otro extremo del brazo, pega la lámina de cobre doblada.

Coloca el martillo en su soporte pasando el eje por la guía y el agujero del brazo.

11 Pinta la base, el pie y la mesa del martillo y monta la estructura, tal y como ves en la fotografía. Barniza todos los elementos pintados.

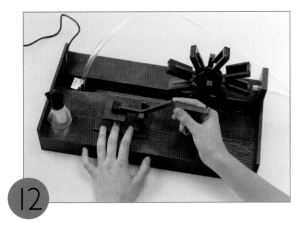

Para terminar, pinta la base y sella las esquinas del surco con silicona. Coloca la bomba de agua en un extremo y lleva el tubo de plástico hasta el agujero para conseguir el salto de agua. Junto a él, pega la noria de manera que el agua caiga dentro de las cazoletas. Pega el martillo en la posición justa para que la pala lo balancee y no quede trabado.

12

Conecta la bomba de agua y verás cómo se crea un circuito de agua que mueve la noria y permite que ésta accione el martillo pilón.

¿Sabías que...

la mayor noria del mundo mide nada más y nada menos que 135 metros de altura y tarda 30 minutos en realizar una vuelta entera? Se trata de una noria lúdica, llamada el *Ojo de Londres*, desde la cual es posible otear hasta una distancia de 40 km. Cuenta con 32 cápsulas, cada una con capacidad para 25 personas, y se encuentra en el centro de Londres.

Las burbujas decorativas

En esta ocasión, te proponemos que construyas un aparato de burbujas para decorar tu habitación. Su funcionamiento se basa en la diferencia de densidades y viscosidades de los líquidos utilizados: alcohol, agua y aceite.

Objetivos

- Asimilar los conceptos de densidad y viscosidad.
- Observar las diferentes propiedades de los líquidos y sus posibles aplicaciones.

- Dos copas de champán de plástico, desmontables
- Plancha de poliestireno de 15 cm de largo × 10 cm de ancho, y 2 mm de grosor
- Aceite de girasol o de oliva
- Agua destilada
- Alcohol
- Colorante de anilina soluble en alcohol, de color rojo
- Papel de lija de grano fino
- Lima redonda
- Pegamento de cianocrilato
- Rotulador permanente
- Sierra de arco
- Cutter
- Pintura plástica negra
- Pincel grueso

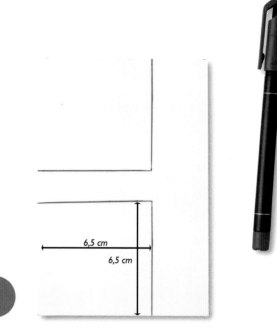

1

6,5 cm

6,5 cm

Dibuja en la plancha de poliestireno las dos tapas, y córtalas con el *cutter*.

2

Separa las bases de las dos copas de plástico y, con una sierra de arco, corta el trocito de plástico que servía para encajarlas, de forma que queden agujereadas.

Con el papel de lija, pule el agujero de cada copa para evitar que queden rebabas o protuberancias.

3

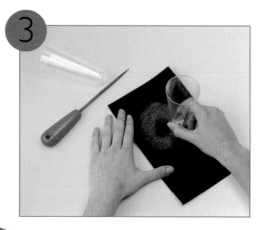

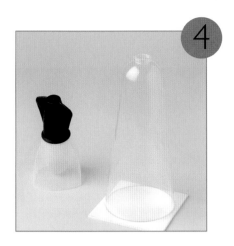

Coloca la boca de una de las copas sobre una de las tapas de poliestireno y sella la unión con el pegamento para evitar posibles fugas. Es importante que repases todas las uniones de esta práctica.

Coloca la otra copa encima y únelas por sus bases, procurando que la estructura quede totalmente recta y que la unión quede bien sellada.

Vierte primero el aceite hasta llenar la copa inferior y luego el alcohol coloreado con la anilina, dejando un dedo hasta la superficie. Añade agua destilada hasta llenar casi por completo la copa superior. Mezcla bien el agua y el alcohol, y cierra el montaje con la otra tapa de poliestireno.

Pinta las tapas y dale la vuelta: verás cómo las burbujas de alcohol empiezan a subir lentamente. El agua ralentiza la subida de estas burbujas, ya que al mezclarse con el alcohol, aumentan ligeramente su viscosidad.

¿Sabías que...

la viscosidad y las burbujas desempeñan un papel muy importante en las erupciones de los volcanes? El magma del interior de la Tierra contiene burbujas de vapor de agua. Si el magma es poco viscoso, estas burbujas crecen y se mueven con facilidad y, cuando salen, lo hacen de forma controlada y el magma se desliza lentamente por las laderas del volcán. En cambio, si el magma es viscoso, el gas queda aprisionado en su interior y puede provocar explosiones violentas.

El submarino

Un submarino es un barco concebido para navegar bajo el agua. **Cuando navega por la superficie, tiene sus cámaras de inmersión llenas de aire; y para sumergirse, debe llenar dichas cámaras de agua. El funcionamiento de los submarinos se explica gracias al principio de Arquímedes.**

Objetivos

- Asimilar el concepto de flotabilidad.
- Conocer el principio de Arquímedes y algunos datos de la biografía de este gran científico de la Grecia clásica.
- Aprender a trabajar con plásticos rígidos, con poliestireno y con diferentes tipos de pegamento.

- *Tubo de PVC de 21 cm de largo × 5 cm de diámetro exterior*
- *Tubo macarrón de plástico transparente de 1 m de largo × 0,4 cm de diámetro exterior*
- *Tubo de cobre de 20 cm de largo × 1 cm de diámetro exterior*
- *Plancha de poliestireno rígido de 15 cm de largo × 10 cm de ancho, y 2 mm de grosor*
- *Huevo de porexpán de 10 cm de alto*
- *Plástico en forma de U, negro, de 16 cm de largo y 0,6 cm de separación*
- *Taladro de mano*
- *Brocas de 6, 4 y 3 mm*
- *Dos bridas de plástico*
- *Pegamento especial para plásticos rígidos*
- *Pegamento de contacto (especial para porexpán)*
- *Silicona*
- *Cutter*
- *Lima redonda*
- *Papel de lija de grano fino*
- *Pintura acrílica gris, negra y blanca*
- *Pinceles fino y grueso*

1 Dibuja y corta dos círculos en el poliestireno rígido, y realiza con ayuda los agujeros señalados en el tubo de PVC y en la U de plástico. Corta el huevo de porexpán por las marcas y lija los extremos para que coincidan con el tamaño de los círculos.

2 Con la ayuda de una tira de papel de 7,8 cm (la mitad del perímetro del tubo), traza una línea en el tubo de PVC. Sobre esta línea, haz un agujero de 0,4 cm de diámetro a 1 cm del extremo del tubo.

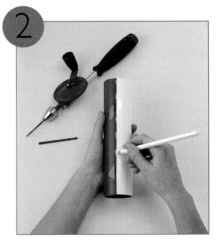

3 Pega el plástico en U sobre la línea que marcaste, empezando en un extremo, y fija con las bridas el tubo de cobre en el interior, tal y como ves en la fotografía.

4

Encola los dos extremos del huevo de porexpán sobre los círculos de poliestireno con pegamento de contacto, y une éstos a los extremos del tubo de PVC con el pegamento para plásticos rígidos.

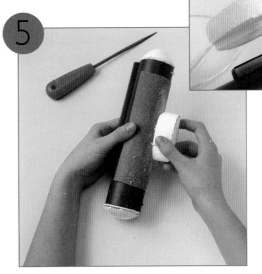

5

Para la torreta del submarino, dale la forma al porexpán sobrante y realiza en su parte ancha un agujero de 0,4 cm que la atraviese. Lija la base, tal y como ves, para que encaje con el tubo de PVC y realiza con la lima un surco para la U de plástico. Pasa el tubo macarrón por el agujero, únelo al plástico y séllalo con la silicona. Pega la torreta.

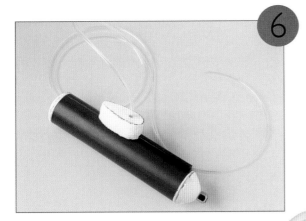

6

Para calibrar el hundimiento del submarino, fija un tornillo y una tuerca a la parte delantera (la más puntiaguda). El submarino debe hundirse primero por detrás para que el aire tenga tiempo de salir por el tubo macarrón.

Colorea tu submarino con pinturas acrílicas y, cuando estén bien secas, ya puedes sumergirlo en el agua.

M-31

¿Sabías que...

fue en el siglo XIX cuando se desarrollaron la mayoría de proyectos de submarinos? Entre estos proyectos destacan los dos Ictíneo que fueron varados en Barcelona (España) en los años 1859 y 1864.

Un nivel

Un nivel es un instrumento que se utiliza para medir la inclinación de un objeto o superficie. Consiste en un tubo lleno de agua coloreada con una pequeña burbuja de aire dentro, que es la que se desplaza según la inclinación y hace tan útil esta herramienta.

Objetivos

- Conocer este instrumento de medición de inclinaciones llamado nivel.
- Construir uno, utilizando agua coloreada, y aprender a usarlo.
- Trabajar con ángulos y aprender a medirlos.

• Tubo macarrón de 20 cm de largo
  × 0,4 cm de diámetro exterior
• Listón de madera de balsa cuadrado
  de 12 cm de largo × 1,5 cm de lado
• Plancha de madera de balsa de 10 cm de largo
  × 5 cm de ancho, y 4 mm de grosor
• Agua destilada
• Acuarela líquida amarilla
• Pintura plástica roja
• Alicates
• Taladro de mano o berbiquí
• Cutter
• Tijeras
• Sierra de marquetería
• Cola blanca
• Hoja de papel
• Rotulador negro
  de punta fina
• Bolígrafo azul
• Portaángulos

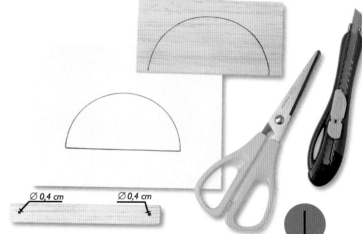

Ø 0,4 cm   Ø 0,4 cm

1

Dibuja y corta un semicírculo de madera de balsa y otro de papel, que reproduzcan la forma del portaángulos. Haz los agujeros señalados en el listón.

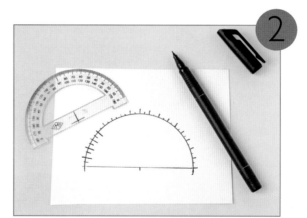

2

Sobre el semicírculo de papel, marca los ángulos del portaángulos.

3

Sumerge el tubo macarrón en un recipiente lleno de agua destilada, coloreada con acuarela líquida amarilla.

4 Pide a un adulto que caliente uno de los extremos del tubo y lo selle con los alicates. Repite la misma operación en el otro extremo del tubo, dejando una pequeña burbuja de aire en el interior lleno de agua.

5

Con cola blanca, pega el semicírculo de madera de balsa sobre el listón, tal y como ves en la fotografía. Pinta toda la estructura de rojo.

6

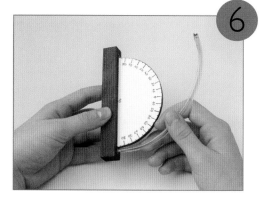

Cuando la pintura esté seca, pega sobre la madera el semicírculo de papel y coloca los dos extremos del tubo en los agujeros realizados en el listón.

Coloca esta práctica herramienta sobre cualquier superficie y la burbuja de aire te indicará su inclinación. ¡Ya no tienes excusa para colgar bien los cuadros!

¡Sabías que...

el monumento de la Torre de Pisa es famoso, además de por su belleza, por su preocupante inclinación? Esta inclinación de 5,5° se debe a haber sido construida sobre tierras muy blandas. Su altura (57 m), su enorme peso (16.000 t) y sus más de 800 años de antigüedad hacen que esta maravilla arquitectónica corra peligro. Los expertos han conseguido disminuir esta inclinación en 0,5°, lo que alargará la vida de la torre unos 300 años.

La fuente del jardín

Las fuentes son muy necesarias en cualquier núcleo de población. Desde tiempos remotos, el hombre se ha establecido en lugares donde existían fuentes de agua naturales. Hoy en día, las fuentes artificiales son muy comunes e incluso han llegado a convertirse en elementos distintivos de pueblos y ciudades. ¿Quieres aprender a construir una clásica fuente de jardín?

Objetivos

- Estudiar el funcionamiento de las fuentes.
- Pensar en la importancia de las fuentes, ya sean naturales o artificiales.
- Conocer las fuentes que fueron concebidas como obras de arte, por escultores o arquitectos.

- *Tubo de látex de 19,5 cm de largo × 0,8 cm de diámetro exterior y 0,5 cm de diámetro interior*
- *Tubo de plástico rígido de 6 cm de largo × 0,6 cm de diámetro exterior y 0,4 cm de diámetro interior*
- *Tubo de PVC de 7,5 cm de largo × 5 cm de diámetro exterior*
- *Plancha de DM cuadrada de 20 cm de lado y 10 mm de grosor*
- *Varilla de ramin de 16,5 cm de largo × 1 cm de diámetro*
- *Recipiente de plástico (azucarero) con tapa a presión y abertura en un lado*
- *Cuenco de plástico de 5 cm de altura × 15 cm de diámetro*
- *Dos entronques de latón del nº 6*
- *Cinta de teflón para grifería*
- *Cola blanca*
- *Pegamento de cianocrilato*
- *Taladro de mano o berbiquí*
- *Brocas de 10 y 9 mm*
- *Cutter*
- *Sierra de marquetería*
- *Bomba de agua pequeña*
- *Lápiz*
- *Pintura plástica verde*
- *Pintura gris con textura de piedra*
- *Pinceles fino y grueso*

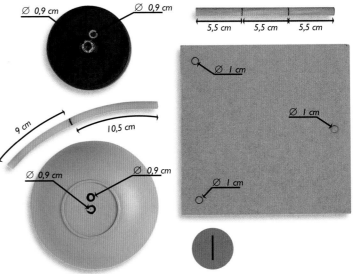

1

Corta las piezas necesarias y realiza los agujeros indicados en la plancha de DM, el tubo de látex, la varilla de ramin, el cuenco y la tapa del recipiente.

2

En el centro de la plancha de DM traza el perímetro del recipiente y realiza un agujero un poco mayor para que ése quepa con holgura. Introduce los tres trozos de varilla de ramin en los agujeros correspondientes y pégalos con cola blanca.

Enrosca los dos entronques de latón en los agujeros realizados en el cuenco. Coloca un poco de teflón en la rosca de estos entronques para sellar bien las uniones.

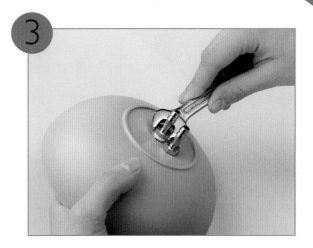

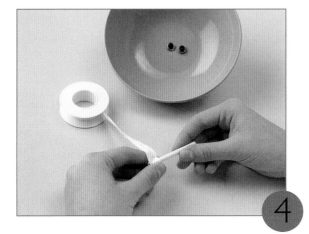

En un extremo del tubo de plástico que hará de surtidor, enrosca también un poco de cinta de teflón. Añade el teflón necesario para que, una vez introducido el tubo en el entronque central, quede fuertemente unido y sellado.

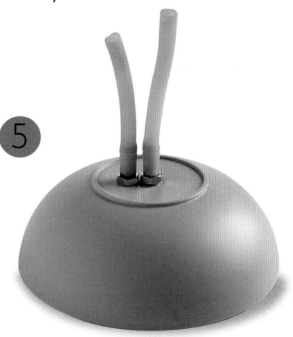

Introduce los dos tramos de tubo de látex en los salientes de los dos entronques del cuenco. El tubo más largo debe ir en el entronque central.

Con pegamento de cianocrilato, une el tubo de PVC a la base del cuenco, encerrando en su interior los dos tubos de látex.

7

Pasa estos tubos por los agujeros realizados en la tapa del recipiente, y une la tapa y el tubo de PVC con pegamento de cianocrilato.

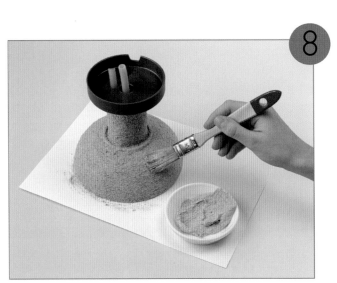

8

Pinta el tubo de PVC y la parte exterior del cuenco con pintura gris con textura de piedra.

Pinta la base de DM con pintura plástica de color verde y, una vez seca, vuelve a colocar la base del recipiente.

9

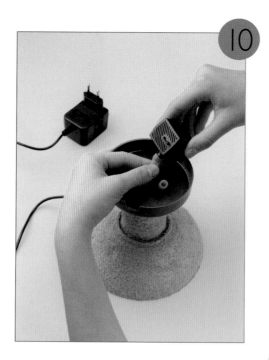

10

Introduce el tubo de látex más largo en la salida de la bomba de agua. Tapa el recipiente con toda la estructura, dejando la bomba dentro y haciendo salir el cable por su abertura lateral.

Echa agua en el cuenco, conecta la bomba de agua y verás cómo empieza a funcionar esta bonita fuente de jardín.

¿Sabías que...

en el esplendor del Imperio Romano (siglo IV d.C.), Roma era una ciudad de casi 1 millón de habitantes y que llegó a contar con 856 baños y 1.152 fuentes? Algunas de estas fuentes eran sagradas y sus aguas se utilizaban para rendir culto a los dioses y para los rituales de los adivinos o sacerdotes augures.

ORIENTACIONES DIDÁCTICAS

Con este libro se pretende ofrecer una guía a los adultos (padres, profesores...) y a los niños a partir de 9 años de edad, que les sirva de ayuda para realizar los trabajos descritos. Es importante señalar que una vez realizado un ejercicio no se debe abordar el siguiente, sin antes haber pensado en el trabajo realizado, sus objetivos, o en definitiva, evaluar qué es lo que el niño sabía antes, y lo que aprende durante y después del montaje.

Cabe destacar que la participación del adulto en el trabajo del niño debe tener sólo carácter puntual, y dejar que él busque sus propias soluciones a los problemas que vaya encontrando. La autonomía del niño se reforzará, y poco a poco será capaz de ir superando la construcción de cualquier ejercicio, ya sea su dificultad baja, media o alta.

En esta obra se ha procurado siempre utilizar materiales fáciles de conseguir y manipular.

Entender qué es lo que se hace y porqué se hace es el objetivo educativo fundamental de este volumen. Por ello, hay que pensar antes de empezar qué vamos a construir, para qué nos va a servir (utilidades lúdica, decorativa, práctica), y qué materiales son los más apropiados en cada caso.

Utilidades y dificultad de cada ejercicio

Ejercicio	Utilidad lúdica	Utilidad decorativa	Utilidad práctica	Dificultad
Una veleta			●	Baja
Los péndulos de Newton	●	●		Media
Una cometa	●			Media
Un termómetro			●	Media
Un paracaídas	●			Media
Mi ventilador de mano			●	Baja
Un anemómetro			●	Alta
El reloj de agua			●	Baja
Un *spray* para pintar	●		●	Baja
Una noria-martillo	●	●		Alta
Las burbujas decorativas	●	●		Baja
El submarino	●	●		Media
Un nivel			●	Baja
La fuente del jardín	●	●		Alta

OBJETIVOS DIDÁCTICOS

Física

1. Entender los principios básicos de la Física que se ponen en práctica en cada ejercicio.
2. Escoger un equilibro entre funcionalidad y optimización de los propios recursos.
3. Reconocer los materiales propuestos para la construcción de cada objeto.
4. Saber diferenciar entre las herramientas que nos serán más útiles en cada caso, para poder usarlas también en el futuro.
5. Ser consciente de que algunas herramientas y colas empleadas tiene que usarlas o ayudar a usarlas el adulto. Algunas siempre bajo su supervisión.
6. Desarrollar la habilidad manual y la imaginación con las prácticas descritas.
8. Desarrollar la imaginación para adaptar otros elementos (tubos, motores...) distintos de los propuestos, en caso de que fuera necesario.
9. Reconocer en cada uno de los 7 ejercicios propuestos, apartados de la Física citados en la introducción del libro: mecánica, meteorología, termodinámica o física del aire.

Agua

1. Reconocer el papel importantísimo que desempeña el agua para la supervivencia y el desarrollo de todos los seres vivos, en especial del hombre y de la sociedad.
2. Estar informado del comportamiento del agua en diversos ambientes o situaciones.
3. Saber qué tipo de materiales se tienen que usar al trabajar con el agua (materiales no porosos, plásticos, pinturas especiales...) y qué pegamentos deben emplearse para la unión de dichos materiales.
4. Trabajar con pulcritud al usar materiales transparentes, para conseguir unos resultados limpios y visualmente agradables.
5. Aprender a manipular plásticos de forma precisa para evitar fugas de líquido.
6. Estudiar el diseño de cada uno de los ejercicios y el recorrido del agua por ellos.
7. Observar que el agua, a pesar de ser una sustancia tan conocida, tiene unas propiedades sorprendentes que la hacen única.
8. Hacer hincapié en la necesidad de reciclar el agua utilizada, ya que se trata de un bien cada vez más escaso en el planeta.
9. Reconocer en cada uno de los 7 ejercicios relacionados con el agua, propiedades y principios básicos de la física de fluidos, como: la fluidez y viscosidad, la presión y los vasos comunicantes, el efecto Venturi, el principio de Arquímedes, y la energía hidráulica.

OTROS OBJETIVOS

Los 14 ejercicios de *Física & Agua* facilitarán al niño el conocimiento de algunos elementos reales de su entorno, estimulando su deseo de construirlos y ofreciéndole las bases para realizarlos. Las actividades propuestas, representan un primer contacto con la Tecnología, en este caso con ejemplos clásicos de la Física y sus especialidades y principios. El orden, la cooperación, el esfuerzo individual para lograr una obra mediante la práctica de todos los pasos indicados en cada actividad, son objetivos que enriquecerán la personalidad del niño. Cada actividad se presenta siguiendo una pauta fija, con el objetivo preciso de facilitar su comprensión:

- Información escueta del uso real del montaje propuesto, características y propiedades.
- Objetivos propios de la actividad.
- Enumeración de materiales. Con ello se informa de la variedad de herramientas y materiales que pueden utilizarse en construcciones relacionadas con el agua y proyectos de Física.
- Cada uno de los "pasos" demuestran que toda construcción tiene que seguir un proceso, que debe estructurarse desde el inicio: materiales, medidas, montaje, acabado y embellecimiento, si lo precisa.
- El apartado de *¿Sabías que...?* ofrece curiosidades sobre la actividad propuesta, con el fin de aumentar el conocimiento del niño sobre la práctica indicada, y estimular su interés por realizarla.

El conjunto de actividades relacionadas con la Física y el agua de este volumen facilitará al niño la posterior elaboración de proyectos más complejos, y pretende, como toda la colección *Pequeño Ingeniero*, aumentar el interés de los niños y las niñas por la Tecnología.

Glosario

Aceleración. Mide los cambios de velocidad en un espacio de tiempo muy pequeño (en un instante).

Aerógrafo. Pulverizador de aire a presión usado para pintar.

Aeronauta. Persona que ejerce la Aeronáutica (navegación por el aire).

Átomo. Elemento primario indivisible de la materia. Se puede llegar a desintegrar mediante procesos físicos.

Calibrar. Graduar exactamente según unas unidades conocidas (centímetros, gramos, voltios...).

Calor. Energía generada por un movimiento oscilatorio de los átomos o moléculas.

Casquete (esférico). Parte de la superficie de una esfera. En un paracaídas, parte de tela que se hincha con el aire y disminuye la velocidad de caída.

Ciclo. Período de tiempo en el que se dan una serie de acontecimientos hasta llegar a uno a partir del cual vuelven a producirse en el mismo orden.

Clepsidra. Aparato para medir el paso del tiempo. Se trata de un recipiente que se vacía progresivamente de agua.

Concentración. Número de partículas de una sustancia determinada por unidad de volumen que se encuentran disueltas en un sistema.

Densidad. Relación entre masa y volumen de una sustancia. Por ejemplo, la madera de balsa es poco densa y el hierro lo es mucho.

Disolver. Disgregar un cuerpo en un medio hasta conseguir una mezcla perfecta. La disolución de un cuerpo en un líquido recibe el nombre de solución.

Eje. Pieza cilíndrica alrededor de la cual gira un cuerpo o que gira con él.

Electricidad. Agente físico que constituye una de las formas posibles de energía. Se activa por fenómenos mecánicos, caloríficos, químicos, luminosos...

Energía. Capacidad que tiene la materia para producir trabajo en forma de movimiento, calor, luz...

Energía eólica. Energía generada por el viento. Se usa para mover los molinos, o generar energía eléctrica con turbinas de viento.

Energía hidroeléctrica. Energía eléctrica que se consigue aprovechando la fuerza de un curso de agua en movimiento y una turbina.

Entronque. Pieza de grifería que sirve para unir tubos o cañerías entre sí o con otros recipientes.

Fibra de carbono. Material elaborado con láminas de grafito (carbono) empaquetadas entre sí formando una fibra.

Física del aire. Rama de la Física que estudia la dinámica del aire.

Física clásica. La Física de sistemas no microscópicos, a velocidades pequeñas en comparación con la de la luz, y en campos electromagnéticos poco intensos.

Física de fluidos. Rama de la Física que estudia la dinámica y las propiedades físicas de los fluidos. Sus principios son también aplicables a la Física del aire (o de cualquier otro gas).

Filosofía. Rama del conocimiento que trata de establecer una concepción racional del universo mediante la reflexión.

Flotabilidad. Capacidad de los cuerpos para flotar.

Fluidez. Capacidad de los cuerpos de cambiar de posición con facilidad. Es propia de los líquidos y los gases.

Fuerza. Acción entre dos cuerpos que tiende a cambiar cualquier relación física entre ambos.

Fuerza centrífuga. Fuerza que aleja del centro a un cuerpo que se mueve describiendo círculos.

Fuerza de gravedad. Fuerza que ejerce la gravedad terrestre sobre un cuerpo. Es lo que llamamos peso.

Fuerza de resistencia (rozamiento). Fuerza que se opone al movimiento de un cuerpo al rozar con el ambiente y generar calor (p. ej.: cuando nos frotamos las manos).

Gas. Fluido sin forma ni volumen cuyas moléculas o átomos tienden a separarse.

Inorgánico. Elemento o sustancia que no forma parte de un ser vivo. Se limita al mundo mineral, dejando aparte el animal y vegetal.

Ión. Átomo que ha perdido o ganado uno o más electrones de los que le corresponderían.

Líquido. Cuerpo que no tiene forma propia. Se adapta a la forma de la cavidad que lo contiene y tiende a ponerse a nivel.

Magnetismo. Conjunto de fenómenos de atracción y repulsión producidos por imanes y corrientes eléctricas.

Martillo pilón. Martillo movido por una noria, generalmente usado para golpear sobre un yunque.

Masa. Cantidad de materia que contiene un cuerpo.

Mineral. Sustancia inorgánica existente en la corteza terrestre, cuya explotación suele ofrecer interés.

Mitología. Historia fabulosa de los dioses y héroes de la Antigüedad.

Molécula. Agrupación definida y ordenada de átomos, que constituye la menor porción de una sustancia.

Odre. Recipiente para líquidos, generalmente hecho con cuero de cabra.

Onda. Propagación de un movimiento oscilatorio dentro de un medio.

Oscilatorio. Movimiento alternativo de un lado a otro alrededor de un punto fijo.

Péndulo. Cuerpo que oscila suspendido desde un punto fijo, bajo la acción de la gravedad y la inercia.

Pintura plástica. Pintura compuesta por una resina sintética emulsionada en agua. Aplicable a trabajos de interior y exterior.

Poliestireno. Plástico duro, fácil de cortar, utilizado en la fabricación de múltiples objetos.

Presión. Fuerza que se ejerce sobre un material por unidad de superficie. En los líquidos, la presión ejercida es igual al peso de la columna de agua que hay sobre la superficie en cuestión y depende de la gravedad, la densidad y la profundidad.

Polímero. Tipo de compuesto químico. Puede ser natural o químico.

Punto de ebullición. Temperatura a la cual hierve un líquido.

Salinidad. Cantidad proporcional de sales que contiene el agua.

Satélite. Cuerpo celeste sin luz propia que gira alrededor de un planeta. La luz que "emite" la luna es la luz solar reflejada en su superficie.

Silicona. Polímero químicamente inerte, utilizado como adhesivo en la fabricación de prótesis y en otras aplicaciones.

Simetría. Correspondencia exacta en la disposición regular de las partes o puntos de un cuerpo o figura con relación a un centro, eje o plano.

Solidificación. Acción y efecto de solidificar, es decir, de hacer sólido un fluido.

Sólido. Cuerpo que, debido a la gran cohesión de sus moléculas, mantiene forma y volumen constantes.

Teflón. Material aislante muy resistente al calor y a la corrosión, usado para articulaciones y revestimientos así como para la fabricación de ollas y sartenes.

Temperatura. Magnitud física que expresa el grado o nivel de calor de los cuerpos o del ambiente. Su unidad en el Sistema Internacional es el kelvin (K).

Triángulo equilátero. Figura cerrada, formada por tres lados iguales.

Turbina. Máquina destinada a transformar la fuerza viva o la presión de un fluido en movimiento giratorio de una rueda de paletas.

Vaporizar. Convertir un líquido en vapor por la acción del calor.

Vasos comunicantes. Recipientes unidos por conductos que permiten el paso de un líquido de unos a otros.

Viscosidad. Propiedad de los fluidos que caracteriza su resistencia a fluir, debida al rozamiento entre sus moléculas.